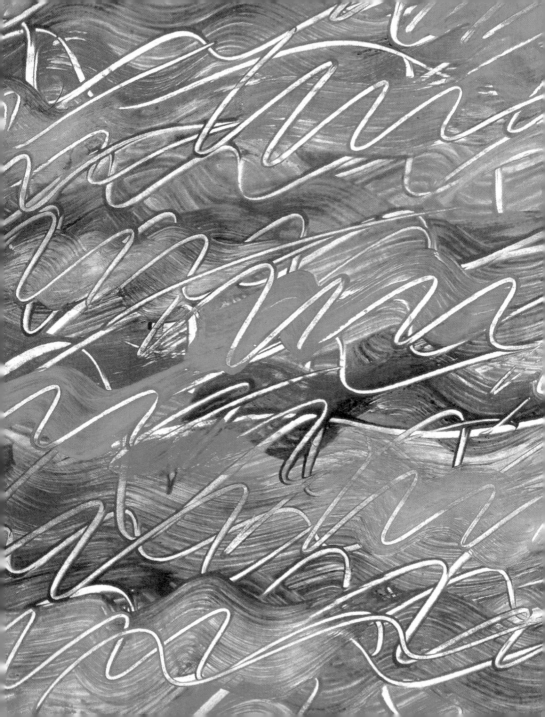

Pour mon fils Rolf

Texte français de Laurence Bourguignon
© 1997 - Mijade (Namur) pour l'édition française
© 1987 - Eric Carle Corp. pour le texte et les illustrations
Titre original : A House for Hermit Crab
Simon & Schuster Books for Young Readers
(New York)
ISBN 2-87142-125-0
D/1997/3712/23

La publication de cet album a été encouragée
par le Fonds d'Aide à l'Edition de la
Communauté française

Eric Carle # La maison du bernard-l'hermite

Mijade

Un matin de janvier, le bernard-l'hermite se dit :
"Il est temps que je déménage.
Je suis devenu trop gros pour cette petite coquille."
Jusqu'ici, elle lui avait offert un abri sûr et confortable.
Mais maintenant, il était à l'étroit.
Il sortit donc de son refuge
et risqua quelques pas sur le fond de l'océan.
Il ne se sentait pas rassuré.
"Où vais-je me cacher
si un gros poisson décide de m'attaquer ?
Vite, il faut que je trouve une nouvelle maison !"

Un jour, au début du mois de février,
il découvrit une coquille bien grande et bien solide.
Il se glissa à l'intérieur, puis se tourna et se retourna
pour voir comment elle lui allait.
Elle était juste à sa taille.
"Dommage qu'elle ait l'air si triste",
se dit-il.

Au mois de mars, le bernard-l'hermite
rencontra des anémones de mer
qui balançaient doucement
leurs bras dans le courant.

"Comme vous êtes jolies", dit-il. "Y en aurait-il une,
parmi vous, pour venir vivre sur ma maison?
Elle a l'air tellement triste. Ça la rendrait plus gaie!"
"Je veux bien", soupira une petite anémone de mer.
Délicatement, le bernard-l'hermite la saisit
dans sa pince et la déposa sur sa coquille.

En avril, il aperçut des étoiles de mer
qui se déplaçaient lentement sur le fond de l'océan.
"Comme vous êtes décoratives", dit-il.
"Y en aurait-il une, parmi vous,
pour venir vivre sur ma maison?"
"Pourquoi pas?" dit une étoile de mer.
Avec soin, le bernard-l'hermite la saisit
dans sa pince et la déposa sur sa coquille.

Au milieu du mois de mai, il découvrit
une colonie de coraux rigides et immobiles.
"Comme vous êtes élégants", dit-il.
"Y en aurait-il un, parmi vous,
pour m'aider à embellir
ma maison?"

"Marché conclu!" dit un corail. Tout doucement,
le bernard-l'hermite le saisit dans sa pince
et le déposa sur sa coquille.

En juin, il vit un troupeau d'escargots
qui rampaient sur un rocher.
Tout en rampant, ils mangeaient la mousse,
les petits débris, et après leur passage,
le rocher était net et bien propre.
"Comme vous êtes soigneux et travailleurs", dit-il.
"Y en aurait-il un, parmi vous,
pour m'aider à nettoyer ma maison?"
"Volontiers", répondit un escargot.
Tout content, le bernard-l'hermite le saisit
dans sa pince et le déposa sur sa coquille.

Quand vint le mois de juillet,
il rencontra des oursins
qui portaient des piquants
pointus et acérés.

"Comme vous avez l'air féroce!" s'exclama-t-il.
"Y en aurait-il un, parmi vous, pour protéger ma maison?"
"Je m'en charge", grogna un oursin
particulièrement piquant. Avec précaution,
le bernard-l'hermite le saisit dans sa pince
et le déposa tout près de sa coquille.

Dans le courant du mois d'août,
le bernard-l'hermite et ses amis
pénétrèrent dans une forêt d'algues.

"Comme il fait sombre ici",
souffla le bernard-l'hermite.
"Il fait même noir", soupira l'anémone.
"Terriblement noir", dit l'étoile de mer.
"D'un noir d'encre!" ajouta le corail.
"On n'y voit goutte", murmura l'escargot.
"C'est comme la nuit", sanglota l'oursin.

En septembre, enfin, le bernard-l'hermite aperçut
de la lumière qui filtrait entre les algues.
C'était un banc de poissons-lanternes!

"Comme vous êtes brillants", s'émerveilla-t-il.
"Y en aurait-il un, parmi vous, pour éclairer ma maison?"
"Avec joie", répondit un poisson.
Et il se mit à nager autour de la coquille.

En octobre,
le bernard-l'hermite s'approcha
d'un tas de galets polis.
"Comme vous avez l'air solides", dit-il.
"Ça ne vous dérange pas
si je vous range un peu?"

"Pas le moins du monde", dirent les galets.
Un par un, le bernard-l'hermite les saisit
dans sa pince et les disposa autour de sa coquille.
"Ma maison est finie!" se réjouit-il.

Mais novembre arriva
et il commença à se sentir à l'étroit.
Petit à petit, tout au long de l'année, il avait grandi.
Bientôt, il aurait besoin d'une autre coquille,
plus spacieuse.

Et quand il s'en irait,
que deviendraient ses nouveaux amis?
"Ils ont tous été si gentils.
Pour moi, ils sont comme une famille!
Comment pourrais-je les quitter?"
se demandait-il.

En décembre,
un jeune bernard-l'hermite vint à passer par là.
"Ma coquille est devenue trop petite", dit-il.
"Vous ne connaîtriez pas quelque chose pour moi?"
"Vous tombez bien", dit l'autre,
"moi aussi je dois déménager.
Si vous voulez, je vous cède la place,
à condition que vous preniez bien soin de mes amis."
"C'est entendu", dit le jeune bernard-l'hermite.

Début janvier, le nouveau propriétaire emménageait.
"Ouf! Je n'aurais pas pu tenir une minute de plus
dans cette petite coquille",
se dit le bernard-l'hermite
en agitant sa pince
en signe d'adieu.

Bientôt, il découvrit la maison de ses rêves.
La grande coquille vide avait l'air un peu triste,
mais maintenant, il savait comment s'y prendre.

Le bernard-l'hermite vit au fond de l'océan.
Une peau dure recouvre tout son corps,
sauf son abdomen qui est nu et vulnérable.
Pour se protéger, il trouve refuge
dans une coquille vide qui devient sa maison.
Il laisse juste dépasser sa tête, ses pinces et ses pattes.
Il peut ainsi se déplacer pour chercher sa nourriture.
Quand il est menacé, il rentre dans sa coquille
jusqu'à ce que le danger soit passé.